CYNNWYS - CONTENTS

Cyflwyniad / Introduction		*iii*
Rhagair gan Nic Parry		*iv*
Foreword by Nic Parry		*v*
1	Bordeaux	1
2	Lens	13
3	Toulouse	25
4	Paris	37
5	Lille	49
6	Lyon	61
7	Cenedl Bêl-droed Annibynnol	73
	Independent Football Nation	73

CYFLWYNIAD

Roeddwn i wedi breuddwydio am gael gwylio Cymru mewn un o brif pencampwriaethau'r byd pêl-droed am flynyddoedd; wedi breuddwydio am gael sticio sticeri ein harwyr mewn llyfr, o weld y Ddraig Goch yn chwifio uwchben y stadiwm, o ganu *Hen Wlad Fy Nhadau* ... ond byth ers sicrhau ein lle yn Ffrainc ar noson hydrefol wlyb ym Mosnia, roeddwn wedi pryderu sut byddai dathliadau hurt y 250 yn Zenica yn trosglwyddo i ddisgwyliadau'r 30,000 o gefnogwyr fyddai'n glanio yn Bordeaux.

Wrth gwrs, doedd dim angen bod wedi poeni am eiliad. Daeth y Wal Goch yn un o olygfeydd eiconig Euro 2016 ac yn un o'r nifer o resymau y bydd haf 2016 yn byw yn hir yng nghof cefnogwyr pêl-droed Cymru. Roedd gennym bump yn y cefn, doedd neb yn cymharu â Joe Ledley, roedd Joe Allen yn rhoi gobaith i ni i gyd ac roedden ni i gyd wedi aros i yfed yr holl gwrw ... i'r fath raddau, nes fod UEFA wedi ein gwobrwyo!

INTRODUCTION

I had dreamed of watching Wales in a major tournament for so many years; dreamed of sticking our heroes into sticker books, of seeing y Ddraig Goch fluttering above the stadium, of singing *Hen Wlad Fy Nhadau* ... but ever since securing our place in France on that wet autumn night in Bosnia I had a sense of trepidation as to how the mad celebrations of the 250 in Zenica would translate to the expectations of the 30,000 fans descending on Bordeaux.

Of course, I need not have worried. The Red Wall became one of the sights and sounds of Euro 2016 and one of the many reasons as to why the summer of 2016 will live long in the memory of Welsh football fans. We had five at the back, with nobody like Joe Ledley, given hope by Joe Allen and we stayed to drink all the beer ... to such an extent that UEFA gave us all an award!

RHAGAIR

gan Nic Parry

Hanes. Mae'n rhan ohono' ni, o'r hyn yda ni, ond, ar brydiau, mae angen ei newid. Pan ddaw'r cyfle prin i wneud hynny, mae'r cyfrifoldeb o'i gymryd yn aruthrol. Derbyn y cyfrifoldeb a'i gofleidio wnaeth ein tîm pel droed cenedlaethol yn Ffrainc yn 2016.

A phan fo hanes newydd yn cael ei greu, mae'r cyfrifoldeb o gofnodi hynny yr un mor fawr. Dyma wedi'r cyfan fydd sail gwybodaeth ac ysbrydoliaeth y cenedlaethau i ddod.

Fum i erioed mor bryderus cyn sylwebu ar unrhyw gem ag yr oeddwn i ar drothwy gem agoriadol Cymru yn erbyn Slovakia yn Bordeaux. 'Doedd dim modd osgoi y ffaith, fe allai hon fod yn fwy na sylwebaeth y funud, fe allai fod yn gofnod am flynyddoedd i ddod. Ac wrth ir daith dyfu'n fwy ac yn fwy rhyfeddol dros fis na welwn efallai ei debyg fyth eto, cynyddu wnaeth y teimlad hwnnw o sylweddoli bod hon yn fwy na stori, roedd hi'n chwedl ac roedd rhaid ei chofnodi'n gywir mewn gair.

Llwyddo i wneud yr un peth wnaeth rhai o'n cefnogwyr rhyfeddol hefyd, ond drwy gyfrwng arall. Roedd rhaid bod yn Ffrainc i sylweddoli maint y parch a'r edmygedd fu tuag at angerdd, cyfeillgarwch a chwrteisi y cefnogwyr rheiny - fe syrthiodd Ewrob mewn cariad a chefnogwyr tîm Cymru. Ond, fel dengys y gyfrol hon, nid dyna oedd eu oedd eu hunig gymwynas a ni. Aethant ati i gofnodi eu profiadau, a hynny mewn llun.

Eu lluniau hwy sydd yma, eu cofnod real hwy o eiliadau personol, cofnod o iwfforia, o anghrediniaeth, o gyfeillgarwch ac angerdd - y cyfan yn y foment, heb ei gynllunio.

Yn y côf mae'r lluniau gorau wrth gwrs. Yno, cewch eu haddurno, eu lliwio a'u gloywi fel y mynnwch a'ch atgofion personnol. Ond, os fydd y côf byth yn pylu, os bydd eiliad yn meiddio mynd ar goll, dyma ichi drysor i ail danio'r atgofion gorau o brofiad bythgofiadwy.

Mwynhewch ail chwarae'r gem drwy lygad cefnogwr cyffredin ein tim cenedlaethol.

FOREWORD
by Nic Parry

When the opportunity to create history arose, our wonderful national football team embraced it with a style, decency and respect for others that captured the imagination of Europe. For four weeks in the summer of 2016, Europe fell in love with everything Welsh.

That history is now part of us, it will provide inspiration for the next generation who will learn of the values, exemplified by our players and staff, that went far beyond the football field .

With its creation came the need for its accurate recording. Never before have I felt the pressure that plagued me on the eve of commentating on that first match in wonderful Bordeaux against Slovakia. Deep inside I knew that this could be much more than capturing the moment, but rather creating the words that would, perhaps, be repeated for decades to come. As the story developed into dreamland that sense of responsibility was as great as the feverish excitement.

It is said that the human mind responds far better to an image than a word and the saying, 'a picture paints a thousand words', was never truer than during the fabulous French summer of 2016 when that now famous 'Red Wall', our quite fantastic supporters, rose to the challenge. This is a collection of their photographs, their experiences and memories captured on the front line, a true record of the fervour, happiness and friendship that marked their personal experiences.

The best pictures are, of course, those in our head, where we can edit and embellish them as we choose but, should a memory ever fade or if a moment was ever lost, this collection is a treasure to reignite those memories.

Enjoy *Allez Cymru* and re-live the history of Euro 2016 through the raw lens of the ordinary Wales football supporter.

1: BORDEAUX - Stade de Bordeaux 11-6-2016

Ar ôl blynyddoedd o freuddwydio ac ar ôl blynyddoedd o wylio cefnogwyr gwledydd eraill yn mwynhau eu hunain pob yn ail haf, roedd y Cymry, o'r diwedd, wedi cyrraedd.

"Mae hi fel Eisteddfod yma!" Dyna oedd y gri gan nifer o Gymry wrth grwydro o amgylch Bordeaux. Doedd dim posib cerdded mwy na rhyw bedwar cam o un bar i'r llall cyn taro ar wyneb cyfarwydd arall o Gymru.

Ond gyda llifoleuadau'r Vetch, llaw Joe Jordan a thrawst Parc yr Arfau yn parhau i fod yn fyw yn y cof, doedd gan yr un o'r sgyrsiau am y gêm oedd i ddod unrhyw dinc o hyder.

"A bod yn onest, dwi'n ddigon hapus i fod wedi cyrraedd," oedd y farn gyffredinol. "Gobeithio na fyddwn yn gwneud smonach o bethau."

Ond wrth i'r cwrw a'r gwin ddechrau llifo, daeth gobaith o'r newydd gyda'r sgwrs yn troi o, "Gobeithio cawn ni gôl i'w dathlu" i, "Da chi'n deall bod modd curo Slofacia, tydach?"

Having waited 58 years to appear at a major tournament the Welsh weren't willing to wait a single second more, as more than 30,000 Welsh fans poured into Bordeaux for the opening match.

Flags from Risca to Rhosneigr were draped outside almost every bar and restaurant in the city centre as the Welsh invasion took hold and the party began.

However, the excited hordes were far from confident. "I'm just happy to be here," was possibly the most often heard phrase of that incredible Saturday morning … apart from "deux bière s'il vous plait"!

As the beer flowed, inhibitions were lowered and, almost exponentially, it seemed that expectations were raised.

Suddenly, the thinking had gone from, "I hope we don't disgrace ourselves" and, "It would be great to have a goal to celebrate" to, "you do realise we can win today, don't you?"

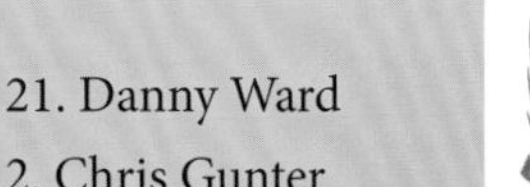

Wales 2

21. Danny Ward
2. Chris Gunter
3. Neil Taylor
4. Ben Davies
5. James Chester
6. Ashley Williams
7. Joe Allen
10. Aaron Ramsey
(15. Ashley Richards 88')
14. David Edwards
(16. Joe Ledley 69')
20. Jonathan Williams
(9. Hal Robson-Kanu 71' ⚽ 81')
11. Gareth Bale ⚽ 10'

Slovakia 1

23. Matúš Kozáčik
4. Ján Ďuríca
3. Martin Škrtel 90'
18. Dušan Švento
2. Peter Pekarik
17. Marek Hamsik
13. Patrik Hrošovský 31'
(8. Ondrej Duda 60' ⚽ 61')
19. Juraj Kucka 83'
21. Michael Ďuriš
(11. Adam Nemec 59')
7. Vladimír Weiss 80'
(10. Miroslav Stoch 83')
20. Róbert Mak 78'

Eilyddion / Subs (heb eu defnyddio /unused):

Wales	Slovakia
1. Wayne Hennessey	1. Jan Mucha
8. Andy King	5. Norbert Gyömber
12. Owain Fôn Williams	6. Jan Gregus
13. George Williams	9. Stanislav Sestak
17. David Cotterill	12. Jan Novotna
18. Sam Vokes	14. Milan Skriniar
19. James Collins	15. Tomas Hubocan
22. David Vaughan	16. Kornel Salata
23. Simon Church	22. Viktor Pecovsku

Torf / Attendance: 37,831

Dyfarnwr / Referee: Svein Oddvar Moen

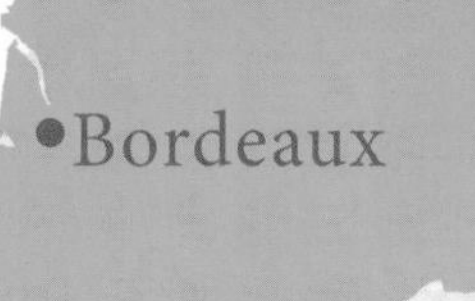

A vast ocean of red shirts and bucket hats was all anyone could see by mid-afternoon on match day, as tens of thousands of Welsh fans managed to overcome an early morning public transport strike to find their way into the centre of the city.

There were small pockets of equally cheerful Slovakian fans but they were soon overwhelmed as the Welsh fans poured into … and out of … every bar in every square and every alleyway in Bordeaux helping create one of the best pre-match atmospheres I have ever savoured.

It was turning into a perfect day and we hadn't even reached the stadium!

Doedd neb wir yn siwr sut 'na beth fyddai'n digwydd yn Bordeaux, roedden ni wedi disgwyl mor hir ac wedi edrych ymlaen mor eiddgar, roeddwn i wir yn poeni os fyddai'r holl beth yn dipyn o fatsen wlyb.

Beth fyddai'n digwydd petai'r achlysur yn drech na ni? A fyddai pawb oedd yn teithio yn deall y pwysigrwydd? Ond doedd dim angen poeni. Gyda degau o filoedd o Gymru yn tyrru i Bordeaux roedd y ddinas yn fôr o grysau coch ac yn un o sŵn canu erbyn ganol y prynhawn.

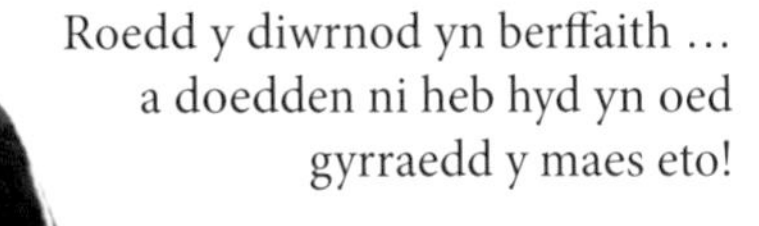

Roedd y diwrnod yn berffaith …
a doedden ni heb hyd yn oed
gyrraedd y maes eto!

Roedd hyd yn oed Vinnie Jones a dyddiau du Bobby Gould yn cael eu cofio wrth i Elliw Gwawr wisgo ei chrys â balchder: "Dwi'n cofio ni'n colli yn erbyn Moldofa a Georgia a chael crasfa yn yr Iseldiroedd efo Vinnie yn gapten. Breuddwyd gwrach oedd cyrraedd yr Euros bryd hynny, ond mae methiannau'r gorffennol yn sicrhau fod dathliadau'r presennol yn fwy perthnasol."

"Dio'm yn mynd i drio o fana, nacdi? Mae honna rhy bell allan." Dyna oedd y gri o'n cwmpas ni eiliadau cyn i Gareth Bale dwyllo'r golwr a sbarduno'r dathliadau mwyaf bendigedig ymysg y Wal Goch o Gymry yn y Stade de Bordeaux.

"He's never going to score from there, it's way too far out," said several voices around us as Gareth Bale paced out his free kick. Seconds later, the very same voices were screaming in delight as the Red Wall exploded in celebration.

It was Gareth Bale who first used the now famous description of the Welsh support. “We call it the Red Wall,” he told the media. “To see the stadium like that, our colour, it’s like a home game and it’s incredible. You hear the stories coming back from home, which make you smile and make you laugh and hopefully we can keep giving them more stuff to celebrate.” ... and didn’t they just!

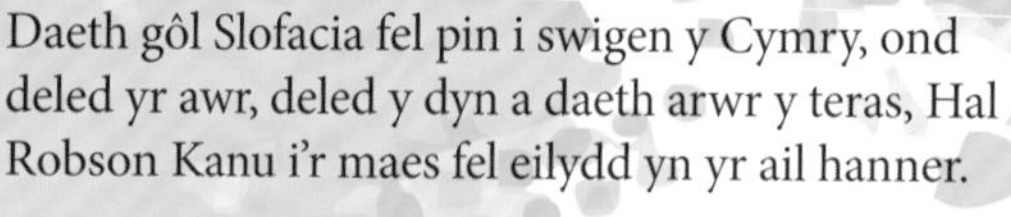

Daeth gôl Slofacia fel pin i swigen y Cymry, ond deled yr awr, deled y dyn a daeth arwr y teras, Hal Robson Kanu i'r maes fel eilydd yn yr ail hanner.

Gyda llai nag 20 munud yn weddill, llwyddodd Robson-Kanu i gasglu pas Aaron Ramsey ar ochr y cwrt cosbi a rhwydo â'r gic hosan orau yn hanes y byd pêl-droed!

The disappointment of seeing Slovakia equalise brought about a, "Here we go again" feeling amongst the crowd but, cometh the hour, cometh the man as cult hero, Hal Robson-Kanu was brought on as a second half substitute.

With less than 20 minutes remaining, Robson-Kanu collected Ramsey's pass on the edge of the area to score with the best scuffed shot in the history of football!

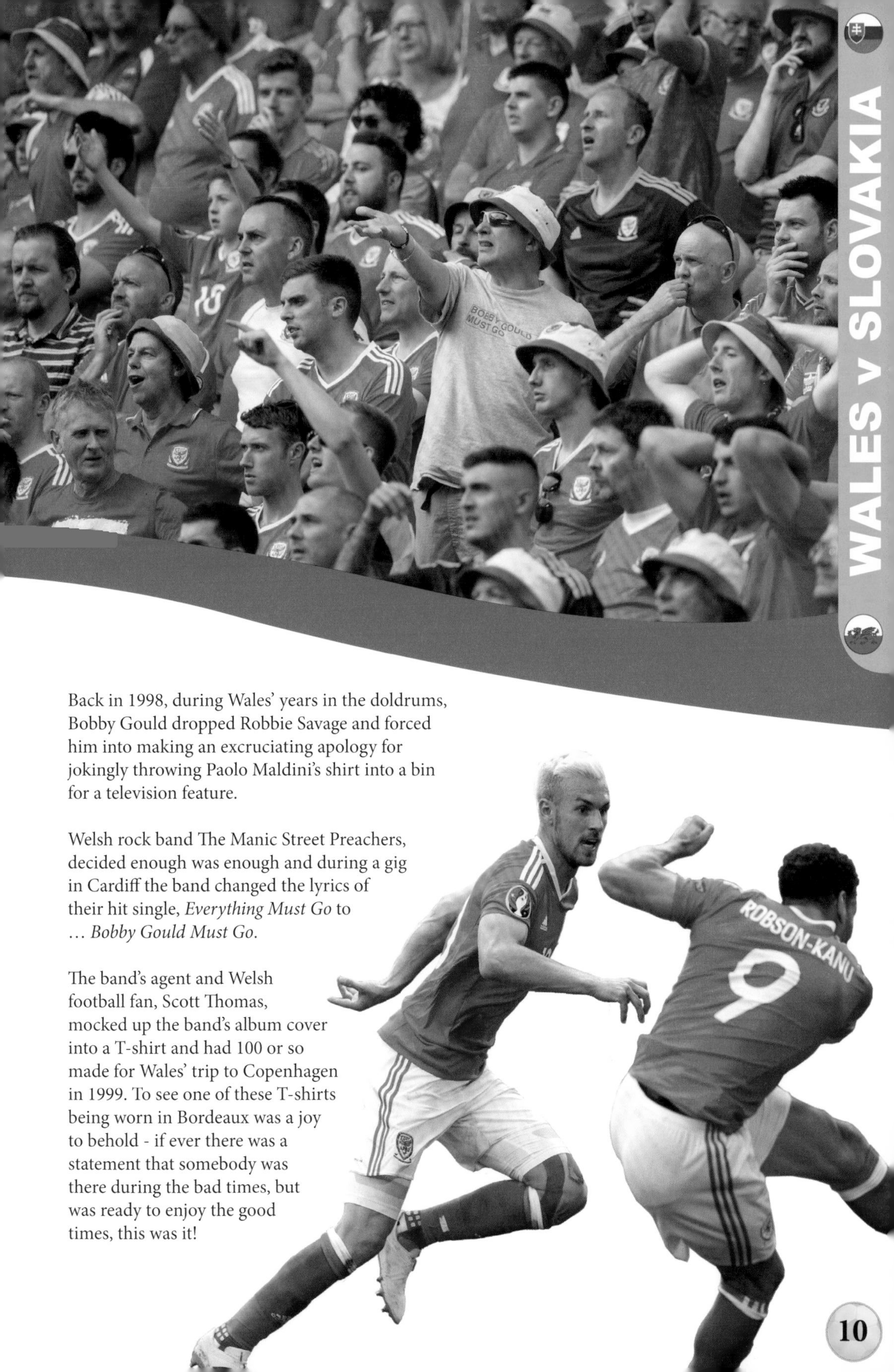

Back in 1998, during Wales' years in the doldrums, Bobby Gould dropped Robbie Savage and forced him into making an excruciating apology for jokingly throwing Paolo Maldini's shirt into a bin for a television feature.

Welsh rock band The Manic Street Preachers, decided enough was enough and during a gig in Cardiff the band changed the lyrics of their hit single, *Everything Must Go* to … *Bobby Gould Must Go*.

The band's agent and Welsh football fan, Scott Thomas, mocked up the band's album cover into a T-shirt and had 100 or so made for Wales' trip to Copenhagen in 1999. To see one of these T-shirts being worn in Bordeaux was a joy to behold - if ever there was a statement that somebody was there during the bad times, but was ready to enjoy the good times, this was it!

CYMRU v SLOFACIA

Wrth edrych yn ôl ar yr haf, megis dechrau oedd y daith ar y prynhawn arbennig yma yn erbyn Slofacia, ond ar y pryd, doedd neb yn siwr os mai dyma fyddai'r tro diwethaf i ni allu mwynhau dathlu.

Cymrodd oes i ni adael y stadiwm wrth i ni ymhyfrydu yn y fuddugoliaeth a'r achlysur. "S'il vous plait, Monsieur, it is time to go home now," meddai'r stiwardiaid wrth i ni fwrw ati i gymryd "un llun arall"!

Ar ôl llongyfarch a chofleidio pob Cymro a Chymraes mewn golwg, roedd yn daith bleserus yn ôl i ganol Bordeaux wrth i ni fyfyrio ar yr hyn oedd wedi digwydd.

Roedden ni ar frig y grŵp, ac roedd hi'n amser dathlu!

In hindsight, the incredible journey upon which we were about to embark was only just beginning on that incredible Saturday afternoon against Slovakia.

We took an absolute age to leave the stadium, as we were determined to enjoy every single second of the atmosphere and the sweet taste of victory, after all, who knew how long it would last?

As the hordes of Welsh fans poured onto buses and trams to make their way back into the city centre, there was a sense of incredulity that we had won, we were top of the group and no, we weren't going to be the whipping boys after all.

It was time to celebrate!

2: LENS - Stade Bollaert-Delelis 16-6-2016

Wrth i'r enwau ddod allan o'r het ar gyfer rowndiau terfynol Euro 2016 dwi'n cofio'n iawn yr ochenaid o rwystredigaeth wrth i Gymru orffen yn yr un grŵp â'n cymdogion. Nid bod dyn eisiau osgoi Lloegr am resymau pêl-droed. Gyda Gareth Bale ac Aaron Ramsey yn y tîm doedd dim angen i Gymru fod ofn unrhyw dîm.

Y rheswm pennaf am y rhwystredigaeth a'r siom oedd ein bod ni'r Cymry am gael ein antur ein hunain a chael sylw am ein campau ni'n hunain, nid am ein bod yn disgwydd bod yng ngrŵp Lloegr, fel roedd y wasg yn mynnu galw Grŵp B.

Ond wrth i'r Wal Goch baratoi i deithio'r 500 milltir i'r gogledd o Bordeaux, Cymru oedd ar frig y grŵp, diolch i'r fuddugoliaeth yn erbyn Slofacia a diolch i gôl hwyr Vasili Berezutski i Rwsia yn erbyn Lloegr ym Marseilles.

Byddai Lens yn brofiad newydd i gefnogwyr Cymru. Roedd Bordeaux wedi teimlo fel gêm gartref, diolch i'r miloedd ar filoedd oedd wedi ymgynnull yno … ond yn Lens roedden ni yn mynd i fod yn leiafrif bychan iawn.

When the draw was made for the group stage of the Euro 2016 finals, it would have been impossible to dampen the spirits of the Welsh fans, after all, who were we to be fussy about our opponents when we'd waited so long to actually be at a major tournament?

Having said that, I can't think of many Welsh fans who were happy to see Wales being drawn alongside England. We wanted to be doing our own thing, enjoying our own adventure and not suddenly becoming part of "England's group", as the media insisted on calling Group B.

However as the Red Wall prepared to travel the 500 miles north from Bordeaux, it was Wales who were top of the group thanks to the win against Slovakia and thanks to Vasili Berezutski's stoppage time equaliser for Russia against England in Marseilles.

Lens would be another new experience for Wales fans. Bordeaux felt like a home game thanks to the thousands of Welsh fans ... but in Lens we were to be heavily outnumbered.

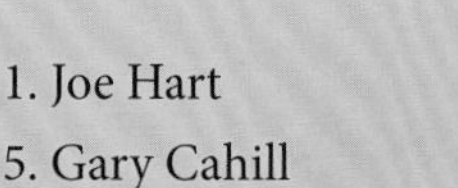

2

1. Joe Hart
5. Gary Cahill
3. Danny Rose
2. Kyle Walker
17. Eric Dier
6. Chris Smalling
8. Adam Lallana
⇄ (22. Marcus Rashford 73')
7. Raheem Sterling
⇄ (15. Daniel Sturridge 46' ⚽ 90'+1)
20. Dele Alli
10. Wayne Rooney
9. Harry Kane
⇄ (11. Jamie Vardy 46' ⚽ 56')

1

1. Wayne Hennessey
2. Chris Gunter
3. Neil Taylor
4. Ben Davies 61'
5. James Chester
6. Ashley Williams
7. Joe Allen
10. Aaron Ramsey
16. Joe Ledley
⇄ (14. David Edwards 67')
9. Hal Robson-Kanu
⇄ (20. Jonathan Williams 72')
11. Gareth Bale ⚽ 42'

Eilyddion / Subs (heb eu defnyddio /unused):

4. James milner
12. Nathaniel Clyne
13. Fraser Forster
14. Jordan Henderson
16. John Stones
18. Jack Wilshere
19. Ross Barkley
21. Ryan Bertrand
23. Tom Heaton

8. Andy King
12. Owain Fôn Williams
13. George Williams
15. Ashley Richards
17. David Cotterill
18. Sam Vokes
19. James Collins
21. Danny Ward
22. David Vaughan
23. Simon Church

Torf / Attendance: 34,033

Dyfarnwr / Referee: Felix Brych

Lens

It was an early morning call for some fans who had decided to make the long journey north by flying from Bordeaux on the morning of the match. Despite the weather, it wasn't possible to dampen the spirits of the 30 or so Wales fans in amongst the besuited, bespectacled, business types on the aeroplane, who were a bit shocked to find their croissants and coffee disturbed by renditions of *Men of Harlech* and calls for more beer!

Roedd disgwyl mwy o gefnogwyr pêl-droed yn Lens ar gyfer y gêm rhwng Cymru a Lloegr na sydd o boblogaeth yn y dref fechan ddiwydiannol yng ngogledd orllewin Ffrainc ac roedd y wasg yn llawn o ddarogan och a gwae am yr hyn fyddai'n digwydd ar ddiwrnod y gêm.

Ond er gwaetha'r holl ddarogan dros ben llestri, doedd dim apocalyps yn Lens.

I arrived in Lens in the rain, greeted by a corridor of armed police and a dance version of *God Save the Queen* playing outside the pub across from the station.

The press had been warning us that this match was going to see an invasion of hooligans hell-bent on causing mayhem ever since the draw had been made, but whilst I hadn't expected a tea party I was pleasantly surprised by the atmosphere on Lens' main street.

A thra nad pawb oedd yn disgwyl cyflafan ar y strydoedd, doeddwn i'n sicr ddim yn disgwyl yr awyrgylch parti oedd i'w gael yn y dref wrth i gefnogwyr Cymru a Lloegr rannu straeon, rannu sawl peint a hyd yn oed fwynhau gêm anferthol o bêl-droed!

As Wales and England fans swapped stories and shared pints the skies lightened just enough to allow for an Anglo-Welsh kickabout between the boarded-up shop fronts.

Roedd ffrind i mi wedi disgrifio'r gêm fel gêm oddi cartref ar gae niwtral gan fod cymaint o gefnogwyr Lloegr wedi llwyddo i gael tocynnau.

Ond fel pob gêm yn erbyn y brawd mawr drws nesaf, doedd niferoedd ddim yn ein poeni ni, roedd na ddigon o angerdd gan y Cymry ... wel dyna ddwedodd Gareth Bale beth bynnag!

The sheer number of England fans in the stadium meant the game was almost like an away game on neutral territory, as so many England fans had managed to get tickets.

But, much like every game against the big brother next door, we may have been outnumbered yet we made up for it with our sheer passion ... just ask Gareth Bale!

UEFA EURO 2016
Hisense
SOCAR
McDonald's

GLASCOED

CYMRU
JUNCTION
BLAENAU FFESTINIOG
Y FFLINT
SWANSEA CITY
BAGILLT
MENAI BRIDG

ALLEN
7

Roedd y dathliadau yn ein cornel fechan goch pan lwyddodd Gareth Bale i roi Cymru ar y blaen ymysg y dathliadau mwyaf gwallgof rwyf erioed wedi brofi.

Do, fe sgoriodd Bale o bellter yn erbyn Slofaci, ond doedd o ddim am wneud yr un peth yn erbyn Jo Hart, nagoedd?

orange
LALLANA
8
VARDY
11
CHESTER
5

STURRIDGE
15
RASHFORD
22
ALLEN
7
EDWARDS
14
1

Choosing one photograph, just one abiding memory from the Euros in France, is an impossible task. However, the sight of Chris Gunter approaching the Welsh fans at the end of the game in Lens is one memory which will stay with me forever.

We hadn't arrived in north west France expecting a victory, the many Welsh fans on our early morning flight from Bordeaux to Lille had been incredibly realistic about our chances; some might say incredibly pessimistic when you consider that Roy Hodgson's team were far from being world beaters.

Yet England's winner, in the last few seconds of the match, had left the Welsh end numb with disappointment.

When Gareth Bale became the first Welsh player to score against England since Mark Hughes in 1984, the celebrations in the Welsh end took on an almost surreal feeling. We weren't going to beat England for the first time in over 30 years were we?

Even after the inevitable equaliser, Wales had shown they were more than a match for England and the atmosphere in the Wales end remained celebratory, even if it was all tinged with an overriding feeling of nervousness as the minutes ticked away.

The one phrase which has been bandied about in all my time of following Wales away from home is that it's not the disappointment that gets you … it's the hope.

And once again, that hope, that incredible, feeling that we were about to get one over on our nearest and dearest rivals is what got to us. With 90 minutes played, we were going to get a vital draw, an unexpected point and we were going to remain top of the group.

The England fans in the stadium were imploring their team to attack - a draw was tantamount to defeat as far as they were concerned. We, on the other hand, were anticipating an unexpected, yet delightful, point … then up stepped Daniel Sturridge and that hope, that expectation had got us again.

When Chris Gunter made his way over to our end of the ground telling us to keep our chins up, I'm not too proud to say that I almost burst into tears!

That moment crystallised the whole #TogetherStronger campaign. We were as one with the squad. They shared our gut wrenching feeling of disappointment, but like us, they would pick themselves up and go again in Toulouse.

3: TOULOUSE - Stadium de Toulouse 20-6-2016

Gyda'r newyddion yn llawn o straeon am hwliganiaid o Rwsia yn paratoi i greu hafoc yn Toulouse cyn y gêm yn erbyn Cymru, bydda'i rhywun wedi maddau i'r Cymry am gadw'n glir o'r ddinas cyn hired â phosib … ond roedd y Super Furry Animals yn chwarae mewn gŵyl yn y ddinas ar y penwythnos cynt, felly roedd miloedd o Gymry wedi cyrraedd y ddinas yn gynnar ar gyfer parti a hanner!

Roedd yn amlwg fod y gig yn mynd i fod yn wahanol iawn i'r arfer oherwydd y nifer fawr o hetiau bwced Cymreig a chrysau pêl-droed Cymru oedd yn y gynulleidfa, ond roedd y corws o "Hal, Robson, Hal Robson-Kanu" gafodd ei arwain gan Cian yng nghanol y set yn swreal dros ben!

Ar ôl y siom o ildio gôl yn yr eiliadau olaf yn erbyn Lloegr, roedd 'na gryn dipyn o fathemateg i geisio darogan pwy fyddai'n mynd trwodd a phwy fyddai'n chwarae yn lle yn y rownd nesaf. Roedd y rhai mwyaf hyderus yn ein mysg wedi bwcio eu taith i Nice yn barod; dyma lle fyddai'r ail dîm yn ein grŵp yn chwarae yn y rownd nesaf. Na, doedd neb yn breuddwydio am ennill y grŵp a chael teithio i Baris!

With news bulletins full of stories of the Russian hooligans' intention to wreak havoc in Toulouse ahead of their final group game with Wales, one could have forgiven the Welsh fans had they decided to steer clear of the city until the very last minute.

However, Welsh fans' favourites, the Super Furry Animals, were playing the Rio Loco festival the weekend before the match … cue the arrival of thousands of red-shirted, bucket hat wearing fans intent on having a damn good time! Seeing Cian leading a chorus of "Hal, Robson, Hal Robson-Kanu" in the middle of the set has to be one of the most surreal moments of the summer!

After the disappointment of the last-minute defeat to England in Lens, the pre-match chatter was more akin to an algebra lesson. "If x gets 3 points then y needs 1 point and z ends up in Marseilles … possibly!" The more confident amongst the Welsh support had booked for Nice, which is where the second placed team in Group B would end up … nobody was even dreaming about winning the group and heading to Paris!

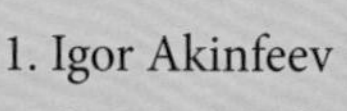
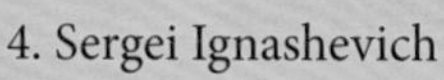

Russia 0

1. Igor Akinfeev
4. Sergei Ignashevich
14. Vasili Berezutskiy
⇄ (6. Aleksei Berezutskiy 46')
23. Dmitri Kombarov
3. Igor Smolnikov
8. Denis Glushakov
11. Pavel Mamaev
10. Fedor Smolov
⇄ (19. Aleksandr Samedov 70')
9. Aleksandr Kokorin
22. Artem Dzyuba
15. Roman Shirokov
⇄ (13. Aleksandr Golovin 52')

Wales 3

1. Wayne Hennessey
2. Chris Gunter
3. Neil Taylor ⚽ 20'
4. Ben Davies
5. James Chester
6. Ashley Williams
7. Joe Allen
⇄ (14. David Edwards 74')
10. Aaron Ramsey ⚽ 11'
16. Joe Ledley
⇄ (8. Andy King 76')
18. Sam Vokes 18'
11. Gareth Bale ⚽ 67'
⇄ (23. Simon Church 83')

Eilyddion / Subs (heb eu defnyddio /unused):

Russia:
12. Yuri Lodygin
21. Georgi Schennikov
16. Guilherme
20. Dmitri Torbinski
5. Roman Neustädter
2. Roman Shishkin
18. Oleg Ivanov
17. Oleg Shatov
7. Artur Yusupov

Wales:
9. Hal Robson-Kanu
12. Owain Fôn Williams
13. George Williams
15. Ashley Richards
17. David Cotterill
19. James Collins
20. Jonathan Williams
21. Danny Ward
22. David Vaughan

Torf / Attendance: 28,840

Dyfarnwr / Referee: Jonas Eriksson

Toulouse

Roedd y Cymry yn gartrefol yn Toulouse hyd yn oed cyn y gêm!

There was a reason we felt so at home in Tolouse!

Bing Bong!
Noson anhygoel efo'r Super Furry Animals yng ngŵyl Rio Loco.

What a Super Furry night that was in Toulouse.

As Wales fans gathered in the bars and squares of Toulouse, there was no sign of the baseball bat wielding Russians we had been told to expect ... quite the opposite, in fact! Russian fans in national costume were happy to be photographed as they walked through the singing hordes of happy Welsh fans.

Am yr ail gêm yn olynol, roedd yr awyrgylch yn y dref yn dra gwahanol i'r hyn roedd y wasg wedi ein rhybuddio i'w ddisgwyl. Roedd baneri di-ri wedi eu crogi yn yr amryw sgwariau o amgylch y ddinas wrth i'r Cymry fwynhau'r heulwen a thynnu lluniau gyda'r Rwsiaid oedd wedi dod i'r gêm yn eu gwisg traddodiadol.

INSONORISE
CLIMATISE
HOTEL VICTOR HUGO
INSONORISE
CLIMATISE
TOGETHER STRONGER
GUINNESS
BALE
11

UEFA EURO 2016
EURO2016.com
#RUSWAL
#EURO2016
TOULOUSE
ICI C'EST PAYS DE GALLES
EURO2016
FRANCE
ENTREE
26
GUINNESS

Wrth i'r haul fachlud ar ddiwrnod hyfryd arall yn Ffrainc, a gyda seiniau swynol *Hen Wlad Fy Nhadau*'n esgyn dros yr Afon Garonne, roedd 'na elfen o nerfusrwydd ymysg y Cymry mai dyma fyddai ein gêm olaf yn y gystadleuaeth.

Ond wedi 10 munud cafwyd eiliad o athrylith gan Joe Allen wrth iddo fwydo Aaron Ramsey â phas odidog o ganol cae a chododd Ramsey y bêl yn feiddgar dros y golwr ac i gefn y rhwyd. O'r eiliad hwnnw ymlaen, doedd na'm peryg y byddem yn gorfod dychwelyd gartref am o leiaf wythnos fach arall!

There will always be something magical about walking up the steps and out into a stadium for the first time. We'd spent the best part of two days before that moment working through all the permutations needed for Wales to qualify from the group, but from the moment we first emerged into the Toulouse twilight inside the Stadium Municipal the confidence just grew and grew. Before Joe Allen's pass had even reached Aaron Ramsey for the opening goal, even a seasoned pessimist like me knew we were going to win.

They say that a red sky at night is a shepherd's delight and, whilst we may well sing self-deprecating songs about 'sheep worrying' , there are probably very few shepherds amongst the Wales fans. However, the red sky that night over Stade de Toulouse was to lead to incredible delight for the thousands of Wales fans lucky enough to witness such an epic performance.

Roeddwn i wedi cael llond bol o bobl yn honni mai tîm un dyn oedd Cymru a gyda hyd yn oed Neil Taylor yn sgorio gôl … gŵr oedd heb sgorio gôl o unrhyw fath ers rhwydo dros Wrecsam yn 2010, efallai byddai'r bobl hynny yn dechrau meddwl ddwywaith cyn beirniadau!

"3-0, even Taylor scored!" sang the Wales fans as the Swansea defender scored his first ever international goal and his first goal in senior football since scoring for Wrexham against Grays Athletic in 2010!

Roedd y golygfeydd ar ddiwedd y gêm yn rhai bythgofiadwy, yn enwedig wedi i'r newyddion ein cyrraedd fod Lloegr a Slofacia wedi cael gêm gyfartal yn Saint Étienne oedd yn golygu ein bod ni wedi gorffen ar frig y grŵp … ac ar y ffordd i Baris!

'Ain't nobody, like Joe Ledley,
Makes me happy, makes me feel this way!'

Dydwi ddim yn credu fod y band oedd yn chwarae ar y lawnt tu allan i'r stadiwm erioed wedi cael torf mor orfoleddus yn dawnsio a chanu o'u blaenau a dwi'n amau yn gryf os yw Toulouse erioed wedi gweld cymaint o ddynion yn eu hoed a'u hamser yn cofleidio ei gilydd tra dan deimlad!

After all the talk of mobs of Russian hooligans, and despite their team's demolition and the fact they were out of the tournament, it seemed the most dangerous thing about the Russians in Toulouse that night was the amount of alcohol they insisted on sharing!

This was particularly true for a group of Wrexham fans who, whilst still euphoric about the performance, bumped into some fishermen from Lake Baikal:

"On leaving the ground we were still on an incredible high and intent on finding a bar in which to celebrate.

Outside the first bar we found were a group of Russians draped in their national flag. The largest was the size of a Siberian bear but thankfully these weren't the thugs who had wreaked havoc in Marseilles and, having quickly established that "vodka" is the same in English, Welsh or Russian, a round of shots arrived!

Despite the 3-0 demolition they were in high spirits and somehow during our drink-fuelled conversations in stuttering English and hilarious mimes, we learnt they were fishermen from Lake Baikal and that their interesting looking hats were traditional headwear from the region.

Thanks to my watching Michael Palin on television over the years, I was able to inform them with great authority that Lake Baikal was in fact the world's largest fresh water lake and contains a fifth of the world's fresh water.

In hindsight, I suspect they already knew this, however they seemed suitably impressed and handed me another vodka!"

Does bosib fod Cymru wedi chwarae cystal â hyn ers blynyddoedd maith. Dyma'r perfformiad mwyaf caboledig rwyf wedi cael y pleser o'i wylio gan dîm rhyngwladol Cymru ers cyn cof ac roedd yr awyrgylch yn yr eisteddle yn wefreiddiol gyda'r cefnogwyr ar ben eu digon.

Mae'n bosib fod ein meddyliau wedi crwydro yn ôl i'r golled yn erbyn Rwsia yng ngemau ail gyfle Euro 2004 cyn y gêm, ond y gwirionedd yw fod yr achlysur yma yn golygu llawer mwy na thalu'r pwyth yn ôl.

Roedd y tîm yma bellach wedi cyrraedd rowndiau olaf un o brif bencampwriaethau'r byd pêl-droed. Roedd y chwaraewyr a'r cefnogwyr wedi cyrraedd lefel newydd, lefel hollol uwchlaw poeni am gam a gafwyd dros ddegawd yn ôl ac roedden ni'n aros yn Ffrainc am ychydig hirach!

This was possibly the most complete performance by a Welsh international side in living memory. Russia weren't just beaten, they were demolished by a Welsh side full of confidence and spurred on by an army of fans high on passion and drunk on the experience of just being at the Euros.

Some people suggested this result was some sort of pay back for the Euro 2004 play-off defeat, but the truth is that we no longer had to feel sorry for ourselves over a decade-old missed opportunity.

We were now into the knockout stages of a major tournament and we, the players and the fans, had moved onto a different level, and we were staying in France for a little bit longer!

4: PARIS -Parc des Princes 25-6-2016

"Ç'est combien?" oedd y gri gan y rhan fwyaf o gefnogwyr Cymru wrth i ni gyrraedd Paris. Un o ddinasoedd hyfrytaf y byd … ond hefyd, un o ddinasoedd drytaf y byd. Er gwaetha'r prisiau o €10 y peint … Ia, €10 … roedd angen ambell i beint o gwrw i setlo'r nerfau cyn wynebu Gogledd Iwerddon.

Yr ofn mwyaf o fod yn wynebu Gogledd Iwerddon fyddai'r siom anferthol o golli yn eu herbyn a gweld tîm arall o Ynysoedd Prydain yn camu ymlaen i rownd yr wyth olaf tra'n bod ni'n gorfod troi am adref. Y farn gyffredinol yn y bariau o gwmpas Parc des Princes oedd ein bod ni'n rhy dda i golli yn eu herbyn. Nid bod yn hunangyfiawn oedd hynny, wedi'r cwbwl, roedden ni wedi chwalu Rwsia llai nag wythnos ynghynt. Ond 'dyw bod yn ffefrynnau ddim yn rhywbeth mae cefnogwyr Cymru'n gyfarwydd ag o, felly roedd na gryn nerfusrwydd wrth i ni gychwyn tua'r stadiwm!

It could have been Albania, it could have been Turkey but it ended up being Northern Ireland. We were heading to Paris and the last-16 of a major tournament, but we couldn't help feel a little bit underwhelmed because, for the second time in the tournament, we would be facing another of the 'home' nations.

Playing Northern Ireland was a bit of a double-edged sword. For one thing, and without being arrogant, we really could … and should beat them … but, and this was the worst bit, it was just as possible that we could lose. Seeing another 'home' nation going through to the quarter-finals at our expense would be too much to bear now that we had come so far. Win and we would be in the last eight of the European Championships. Lose and we would be going home ruing a missed opportunity.

Were we nervous? You bet, we were! And even at €10 a pint, that nervousness was being helped by a few beers in the bars surrounding Parc des Princes.

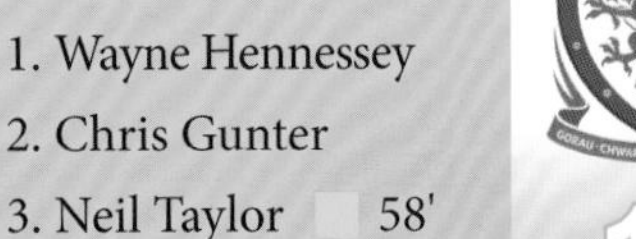

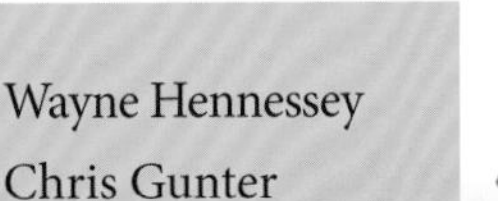

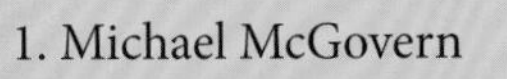

Wales 1

1. Wayne Hennessey
2. Chris Gunter
3. Neil Taylor 58'
4. Ben Davies
5. James Chester
6. Ashley Williams
7. Joe Allen
10. Aaron Ramsey 90+4'
16. Joe Ledley
(20. Jonathan Williams 63')
18. Sam Vokes
(9. Hal Robson-Kanu 55')
11. Gareth Bale

Northern Ireland 0

1. Michael McGovern
20. Craig Cathcart
4. Gareth McAuley 75'
(21. Josh Magennis 84')
5. Jonny Evans
18. Aaron Hughes
8. Steve Davis 67'
13. Corry Evans
16. Oliver Norwood
(7. Niall McGinn 79')
14. Stuart Dallas 44'
19. Jamie Ward
(11. Connor Washington 69')
10. Kyle Lafferty

Eilyddion / Subs (heb eu defnyddio /unused):

8. Andy King
12. Owain Fôn Williams
13. George Williams
14. David Edwards
15. Ashley Richards
17. David Cotterill
19. James Collins
20. Jonathan Williams
21. Danny Ward
22. David Vaughan

2. Connor McLaughlin
3. Shane Ferguson
6. Chris Baird
9. Will Grigg
12. Roy Carroll
15. Luke McCullough
17. Paddy McNair
22. Lee Hodson
23. Alan Mannus

Torf / Attendance: 44,342

Dyfarnwr / Referee: Martin Atkinson

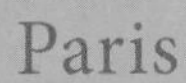

RUE
GALLOIS
L'ECHARPE & MATCH
15€
NORTHERN
IRELAND
EUROSTAR™
LIBERTÉ
EGALITÉ
HENNESSEY

WALES v N IRELAND
BORDS DE SEINE
UEFA EURO 2016 | PARIS
TWEETEZ AVEC #FANZONETOUREIFFEL
SUIVEZ @PARIS
Hisense

Gan fod Paris mor fawr, roedd hi'n anodd iawn cael syniad o'r niferoedd o gefnogwyr oedd yn y ddinas ar gyfer y gêm yn erbyn Gogledd Iwerddon, ond yr eiliad y cyrhaeddon ni orsaf Métro Porte de Saint-Cloud ger y Parc des Princes, roedd yn amlwg fod yr ardal yn ferw gwyllt o wyrdd a choch.

Er gwaethaf ein pryderon o wynebu un arall o dimau Ynysoedd Prydain, roedd cefnogwyr Gogledd Iwerddon yn arbennig … hyd yn oed os oedd eu cân am Will Grigg yn mynd o dan fy nghroen!

In a city the size of Paris, it's always difficult to gauge how many fans have made the trip, but from the second we arrived at the Métro Porte de Saint-Cloud, near the stadium, it became obvious the place was a melting pot of red and green.

The atmosphere in the streets around the Parc des Princes was incredible and, despite the reservations of playing against another 'home' nation, it has to be said the Northern Irish fans were a blast ... even taking into account their continuous repetition of *Will Grigg's On Fire!*

"Do you know the one about the two little dogs?" … "Or the one about the horses who fell on the slippery stones?" … "What about the woman from Kidwelly who sold black sweets?"

Dwi ddim yn credu mai dyna oedd gan y gohebydd a'i chriw ffilmio o Tseina dan sylw pan ofynodd i ni os y buaswn yn gallu canu cwpwl o ganeuon Cymraeg.

Roedd ei wyneb yn bictiwr wrth i griw o fois yn eu 40au mewn crysau Cymru ddechrau canu, "Dau gi bach yn mynd i'r coed" a does wybod beth oedd yn mynd trwy feddwl y criw camera pan ddisgynnon ni fel un i'r llawr wrth i'r "gee ceffyl bach" oedd "yn cario ni'n dau" "lithro" ar y "cerrig slic"!

"Please, please. You know song about Gareth Bale?" gofynodd, yn llawer mwy taer y tro hyn!

Yn fwy od na'r ffaith fod criw teledu o Tseina eisiau i ni ganu caneuon am Gareth Bale oedd fod y gohebydd yn gwisgo crys Cymru gyda "Bale" ar y cefn.

Dwi'n amau yn gryf os oedd gwerthiant crysau Cymru yn uchel iawn yn Tseina cyn Euro 2016 ... roedden ni'n sicr ar y llwyfan rhyngwladol erbyn hyn!

"Do you know the one about the two little dogs?" … "Or the one about the horses who fell on the slippery stones?" … "What about the woman from Kidwelly who sold black sweets?"

I don't think Welsh lullabyes are what the Chinese television reporter quite had in mind when she asked us to sing some Welsh songs.

Her face was a picture when a group of Welsh fans in their 40s started prancing around on make believe horses, and falling to the floor when said horses slipped on some slippery stones!

"Please, please. You know song about Gareth Bale?" she asked , this time a little more insistent!

But stranger than the fact that a television crew from China had been asking us to sing songs about Gareth Bale, was the fact that the reporter was actually wearing a Wales shirt with "Bale" on the back.

I doubt there was much call for Wales shirts in China prior to Euro 2016, we were very much in the world spotlight now!

Roedd pawb eisiau bod ym Mharis ar gyfer y gêm fawr yn erbyn Gogledd Iwerddon, ond doedd pob taith i Baris dim yn hawdd fel yr eglurai un criw o Gaerdydd.

'Er mwyn gallu dal awyren o Heathrow ben bore Sadwrn, roedd angen gadael Caerdydd am 1 o'r gloch y bore ar fws National Express, ond ar ôl cyrraedd y maes awyr am 4.00 y bore cawsom siom anferthol o weld y gair "cancelled" mewn llythrenau mawr coch wrth ochr ein hediad i Baris.

Ar ôl sefyll mewn ciw am dros awr heb unrhyw fath o eglurhad, roedd pawb yn gytûn fod angen cynllun arall os am gyrraedd Paris mewn pryd i weld y gêm. Ar ôl sawl galwad ffôn llwyddom i sicrhau lle ar y fferi o Dover i Calais a thacsi i Dover … am £400!

Roedd angen mwy o alwadau ffôn ar y fferi er mwyn trefnu tacsi o borthladd Calais i'r orsaf trennau, tocynnau trên o Calais i Baris ac yn bwysicach na dim, bod ein cyfeillion oedd eisoes ym Mharis yn casglu ein tocynnau ar ein rhan.

Llwyddom i gyrraedd Paris a chwrdd â'n ffrindiau mewn tafarn ar bwys y Stadiwm ychydig llai nag awr cyn i'r gêm ddechrau.'

Rhedeg i Paris yn llythrennol!

ARDIF
WALES
GORAU · CHWARAE · CYD · CHWARAE
GETHER STRONGER
EURO2016
UEFA EURO 2016

WALES
CYMRU
85:44
1-0

BANGOR ON DEE
CHWILOG
IT'S NICE...
...BUT IT'S NOT

Llai na 24 awr ynghynt roedd mwyafrif pleidleiswyr Cymru wedi pleidleisio i adael yr Undeb Ewropeaidd, ond roedden ni'n benderfynol o barhau i fwynhau ein hanturiaethau Ewropeaidd a chawsom gymeradwyaeth trên gyfan ar y Metro'r noson flaenorol wrth ganu, "Nous sommes au Pays de Galles, nous sommes européens" wrth deithio yn ôl i'n gwesty.

O edrych yn ôl, doedd dim gobaith y byddai'r gêm yma'n glasur ac roedd hi bron yn anorfod mai gôl flêr i'w rwyd ei hun fyddai'n gyfrifol am wahanu'r ddau dîm. Roedd 'na ormod yn y fantol iddi fod yn gêm agored.

Roedd y gêm yn un roedd y Cymry'n ffyddiog o allu ei hennill, ond roedd hefyd yn gêm fyddai'n hawdd i Gymru fod wedi colli. Gydag un llygaid ar rownd yr wyth olaf a'r llall ar y daith yn ôl adref, roedd hi'n brynhawn nerfus ar y cae ac oddi ar y cae.

Roedd y dorf yn gymharol ddistaw wrth i anferthedd yr hyn y gallem gyflawni … a'r hyn y gallem ei golli … amlygu ei hun, ond pan rwydodd Gareth McAuley drwy ei rwyd ei hun, roedd 'na ryddhad amlwg ymysg y Cymry.

Roedd angen trefnu parti gan ein bod ni ar y ffordd i Lille ac i rownd yr wyth olaf yn un o brif bencampwriaethau pêl-droed yn y byd am y tro cyntaf ers 1958!

On reflection, this game was never going to be pretty and it was almost fitting that the game was settled by an own goal. There was far too much at stake for it to have been an open flowing game.

It was one of those matches we all thought we should win, but it was also a match we could quite easily have lost. With one eye on the quarter-finals, and the other on the flight home it was a nervous affair both on and off the pitch.

The atmosphere in the stands was slightly subdued, as the enormity of what we could achieve … and what we could miss … started to sink in, but when Gareth McAuley put the ball into his own net the relief amongst the Welsh fans was palpable.

It was time to get the party started because we were on our way to Lille, and our first quarter-final since 1958!

5: LILLE - Stade Pierre-Mauroy 1-7-2016

Roedd canol Lille yn un o goch erbyn canol y bore, ond nid y Cymry oedd wedi llenwi sgwâr y dref. Gan mai 20km ac 20 munud oedd yn gwahanu Lille rhag y ffîn â Gwlad Belg, roedd miloedd ar filoedd o Belgiaid wedi llifo i'r ddinas ar gyfer y gêm ac roedd hi fel gêm gartref i'r Rode Duivels.

Mae'n deg dweud fod y Belgiaid yn hyderus iawn wrth edrych ymlaen at y gêm, wedi'r cwbwl, roedd Gwlad Belg wedi cyrraedd rownd wyth olaf Cwpan y Byd yn Brasil ddwy flynedd ynghynt ac roedd disgwyl iddyn nhw fynd o leiaf un cam yn well yn Euro 2016.

Doedd y ffaith fod Cymru wedi llwyddo i'w curo yng Nghaerdydd a sicrhau gêm gyfartal ym Mrwsel yn ystod y gemau rhagbrofol ddim i'w weld wedi croesi meddwl eu cefnogwyr. Ffliwc oedd hynny, yn ôl ambell un ... wel, doedd neb wedi dweud hynny wrth Hal Robson-Kanu!

Hotels, guesthouses, flights, ferries, the channel tunnel - everything was either full up, sold out or the prices had gone through the roof, as it seemed like the whole of Wales was desperate to get to Lille.

The only problem with that was that the whole of Belgium was already there!

Located in the Flemish region of France and, being only 20 minutes from the Belgian border, Lille was just about as close to a home game for the Belgians as it could be and they had made the Grand Place their own by mid-morning. Full of confidence, some might even suggest arrogance, the Belgian fans were loudly predicting a rout for De Rode Duivels. After all, they had got to the quarter-finals of the World Cup in Brazil, so surely the semi-finals of Euro 2016 was the least of their ambitions for this tournament.

Of course, the fact that Wales had secured a win and a draw against Belgium in the qualifying campaign, was brushed aside by the Belgians as a fluke ... well, tell that to Hal Robson-Kanu!

Wales 3	Belgium 1
1. Wayne Hennessey	1. Thibaut Courtois
2. Chris Gunter 24'	2. Toby Alderweireld 85'
3. Neil Taylor	16. Thomas Meunier 75
4. Ben Davies 5'	21. Jordan Lukaku
5. James Chester 16'	(14. Dries Mertens 75')
6. Ashley Williams 31'	15. Jason Denayer
7. Joe Allen	6. Axel Witsel
10. Aaron Ramsey 75'	4. Radja Nainggolan 13'
(19. James Collins 90')	10. Eden Hazard
16. Joe Ledley	7. Kevin De Bruyne
(8. Andy King 78')	11. Yannick Carrasco
9. Hal Robson-Kanu 55'	(8. Marouane Fellaini 46' 59')
(18. Sam Vokes 80' 86')	9. Romelu Lukaku
11. Gareth Bale	(22. Michy Batshuayi 83')

Eilyddion / Subs (heb eu defnyddio /unused):

12. Owain Fôn Williams	23. Laurent Ciman
13. George Williams	18. Christian Kabasele
14. David Edwards	17. Divock Origi
15. Ashley Richards	12. Simon Mignolet
17. David Cotterill	13. Jean-Francois Gillet
20. Jonathan Williams	19. Mousa Dembélé
21. Danny Ward	20. Christian Benteke
22. David Vaughan	
23. Simon Church	

Torf / Attendance: 45,936

Dyfarnwr / Referee: Damir Skomina

HOTEL LONDRES
Lille
SEPHORA
LA PLACE
Furet du nord

VERMINATOR
BELGIUM

THE SECOND COMING
1958-2016

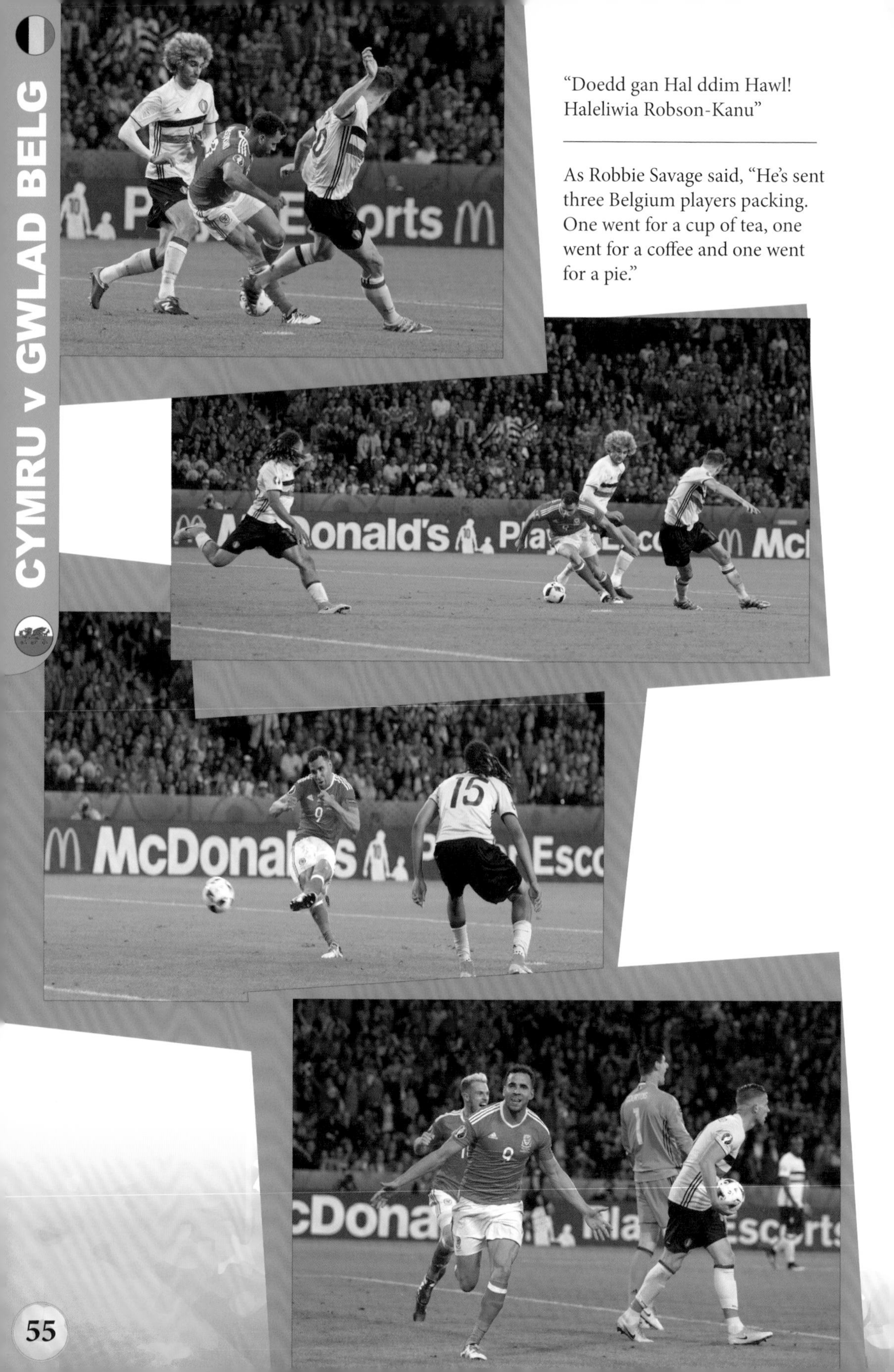

"Doedd gan Hal ddim Hawl!
Haleliwia Robson-Kanu"

As Robbie Savage said, "He's sent three Belgium players packing. One went for a cup of tea, one went for a coffee and one went for a pie."

“Ydw i newydd weld Hal Robson-Kanu yn gwneud ‘Cruyff Turn’ cyn sgorio gôl orau’r bencampwriaeth? Ydw i? Go iawn??”

“Did you just see that? I’m sure I just saw Hal Robson-Kanu pull off the cheekiest of Cruyff Turns before scoring the goal of the tournament. Did I? Really??”

Ar un ochr, llawenydd. Ar yr ochr arall, anghrediniaeth.

One one side, ecstasy. On the other, sheer disbelief.

After Sam Vokes' header, many Welsh fans had tears in their eyes.

O'r eiliad y daeth hi'n amlwg ein bod ni'n mynd i guro Gwlad Belg a chyrraedd y rownd gynderfynol roedd 'na orfoledd pur ar y cae ac oddi ar y cae. Os oes unrhyw un byth yn ceisio dweud fod pêl-droed rhyngwladol yn amherthnasol y dyddiau hyn, byddaf yn eu darbwyllo'n llwyr eu bod yn anghywir trwy ddangos y cyfres o luniau yn y lyfr yma iddyn nhw!

From the moment it became apparent we were going to beat Belgium and reach the semi-finals there was pure, unadulterated and unbridled joy, both on and off the pitch. If anybody tells me that international football is an irrelevance in the modern game and that fans and players don't really care about it, I will point them in the direction of the photographs in this book!

Croeso
Y Bale

LA CHICORÉE

Nid dyma'r tro cyntaf i mi grio mewn gêm bêl-droed. Ar ôl colli yn erbyn Rwsia yng ngemau ail gyfle Euro 2004 dwi ddim yn rhy falch i ddweud fod deigryn neu ddwy wedi dianc wrth i mi eistedd yn Stadiwm y Mileniwm oedd yn prysur wagio'i chefnogwyr.

Roedd gôl Vadim Evseev yn ddigon i ddod a gobeithion tîm Mark Hughes o gyrraedd Euro 2004 i ben ac roeddwn i'n siwr mai dyma fyddai'r cyfle gorau, os nad y cyfle olaf, i gyrraedd un o brif bencampwriaethau'r byd pêl-droed yn ystod fy oes i.

Ond nawr, roeddwn i'n paratoi i wylio Cymru mewn rownd cynderfynol ... ia, mae'n anodd credu'r peth ... ROWND GYNDERFYNOL!

Gallwn drafod eiliad o athrylith Hal Robson Kanu hyd syrffed. Gallwn ddadlau pa mor bowld oedd o i hyd yn oed ceisio'r fath driciau yn erbyn amddiffynwyr o safon fel Thomas Meunier a Marouane Fellaini.

Mae hi'n anodd coelio fod yr ymosodwr, oedd newydd wrthod cytundeb gyda Reading yn y Bencampwriaeth, wedi llwyddo i sgorio un o'r goliau gorau erioed gan ddyn yng nghrys coch Cymru.

Ond er hynny, yr eiliad berodd i mi ddechrau crio dagrau o lawenydd oedd yr eiliad y peniodd Sam Vokes groesiad odidog Chris Gunter heibio i Thibaut Courtois. Roedd gôl a grëwyd yn Reading a Burnley wedi sicrhau ein lle yn rownd derfynol un o brif bencampwriaethau'r byd pêl-droed ... a do, fe wylais!

I have cried at a football match before. After the defeat to Russia in the Euro 2004 play-off, I sat in an almost empty Millennium Stadium and shed a tear or two. I had invested so much during the campaign, having been to each and every qualifying match, quietly believing our time had come.

Vadim Evseev's goal was a hammer blow and I genuinely thought our chance to finally reach a major tournament had gone forever.

Now I was preparing to watch Wales in a semi-final … a SEMI-FINAL!

We could have talked all night about the genius of Hal Robson-Kanu's Cruyff turn, and the utter cheek of his even attempting such a move against defenders of Thomas Meunier and Marouane Fellaini's stature.

We could have all recounted tales of the sheer disbelief, never mind elation, that a striker who had just turned down a contract offer at Championship side, Reading, had just scored one of the best goals of all time, in a Wales shirt.

However, the moment my mates and I broke down with tears of joy was the moment Sam Vokes headed home Chris Gunter's exquisite cross for Wales' third goal. A cross from Reading's full-back, headed home by Burnley's centre-forward was sending us through to the semi-finals of a major tournament for the first time in our history … and I cried!

6: LYON - Parc Olympique Lyonnais 6-7-2016

Gyda champau tîm Cymru yn sicrhau fod Y Bala wedi newid ei enw i Bale a thra bod Aberdaaron Ramsey wedi sicrhau ei le ar fapiau Cymru am gyfnod byr, roedd 'na gymaint o Gymry wedi cyrraedd Lyon ar gyfer y rownd gynderfynol byddai'r Ffrancwyr wedi gallu ail enwi'r dref yn Llion! Gyda phob hediad i fewn i Lyon yn llawn, roedd cefnogwyr yn heidio i'r ddinas o bob cwr o Ffrainc a thu hwnt ar awyrennau, trenau a cheir gan deithio o Baris, Marseilles, Geneva a gydag ambell un hyd yn oed yn teithio draw o Madrid!

Ar ddechrau'r daith roedd 53 o wledydd wedi brwydro am le yn Ffrainc ac o'r 24 gwlad oedd wedi cyrraedd y rowndiau terfynol, dim ond pedair oedd ar ôl ... ac roedd Cymru'n un ohonyn nhw! Roedden ni wedi cael amser i ddygymod â'r ffaith fod dau o'n chwaraewyr gorau, os nad dau o chwaraewyr gorau'r bencampwriaeth, yn colli'r gêm. Ar ôl derbyn cardiau melyn yn ystod y fuddugoliaeth dros Wlad Belg, byddai'n rhaid i Ben Davies ac Aaron Ramsey fod yn yr un sefyllfa a ni a gorfod gwylio'r gêm o'r eisteddle.

The Welsh side's achievements in France led to the town of Bala changing its name to Bale for the duration of the tournament, and Aberdaaron Ramsey also joined in the fun but with so many Welsh fans arriving in Lyon for the semi-final, the French could have renamed the city Llion! Every flight into Lyon was full and Wales fans were having to produce their own version of Planes, Trains and Automobiles as cars, camper vans and trains were carrying the Red Wall to Lyon travelling from as far as wide as Paris, Marseilles, Geneva and even Madrid!

At the beginning of the campaign in 2014, 53 countries were battling for a place in the finals in France and, of the 24 countries that qualified for the tournament, only four remained … and Wales was one of them! We had time to get used to the fact that two of our best players, if not two of the best players in the whole tournament, would miss the game. Having picked up yellow cards in the victory over Belgium, Ben Davies and Aaron Ramsey would be in the same situation as us, in having to watch the game from the stands.

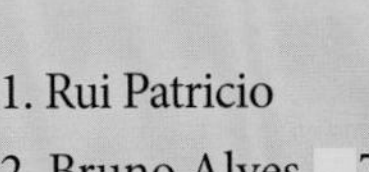
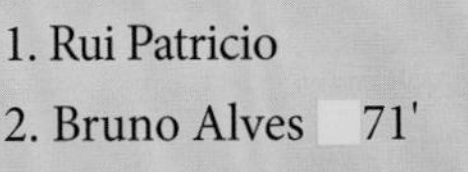

1. Rui Patricio
2. Bruno Alves 71'
4. José Fonte
21. Cédric Soares
5. Raphaël Guerreiro
17. Nani 53'
(20. Ricardo Quaresma 86')
23. Adrien Silva
(8. João Moutinho 79')
13. Danilo Pereira
10. João Mário
16. Renato Sanches
(15. Andr´ Gomes 74')
9. Cristiano Ronaldo 50' 72'

2

1. Wayne Hennessey
2. Chris Gunter
3. Neil Taylor
19. James Collins
(20. Jonathan Williams 66')
5. James Chester 62'
6. Ashley Williams
7. Joe Allen 8'
8. Andy King
16. Joe Ledley
(18. Sam Vokes 58')
9. Hal Robson-Kanu
(23. Simon Church 63')
11. Gareth Bale 88'

0

Eilyddion / Subs (heb eu defnyddio /unused):

22. Eduardo
18. Rafa
9. Éder
12. Anthony Lopes
19. Eliseu
11. Vieirinha
6. Ricardo Carvalho

12. Owain Fôn Williams
13. George Williams
14. David Edwards
15. Ashley Richards
17. David Cotterill
21. Danny Ward
22. David Vaughan

Torf / Attendance: 55,679

Dyfarnwr / Referee: Jonas Eriksson

PORTIWGAL v CYMRU
adidas
CORON GWLAD EI MAMIAITH
GLANTAF BOYZ
CYMRU A

PIZZERIA GEPETTO
10
Havana Club
FANZONE
UEFA
EURO2016
FRANCE

RHOSNEIGR

BIENVENU
AU PARC
OLYMPIQUE
LYONNAIS
UEFA
EURO2016
FRANCE
ULTRAS
PARC OLYMPIQUE LYONNAIS
BIENVEN
OL STORE / ACCUE
ENTREPRISES

UEFA EURO 2016
RESPECT
LYON
UEFA EURO 2016

PORTIWGAL v CYMRU
RONALDO
7
ENERG

CONGRATULATIONS
CONGRATULATIONS
CONGRATULATIONS
LYON
UEFA EURO 2016

LYON
PARABÉNS
PARABÉNS

"Nous sommes pas Anglais, nous somme Gallois!" Am y tro cyntaf mewn bron i 60 mlynedd roedd Cymru wedi llwyddo i gyrraedd un o brif bencampwriaethau'r byd pêl-droed er mwyn atgoffa'r byd ein bod ni'n Genedl Bêl-droed Annibynnol.

Roedd yr holl sôn am Team GB wedi mynd o dan groen cefnogwyr Cymru yn y blynyddoedd diweddar gyda nifer sylweddol yn ei weld fel bygythiad i fodolaeth ein tîm pêl-droed cenedlaethol. Mae campau'r tîm yn Euro 2016 yn golygu fod y ddraig goch, y chwaraewyr a hyd yn oed y cefnogwyr wedi eu gweld gan gynulleidfaoedd teledu anferthol led led y byd ac wedi gosod Cymru ar y map.

Does dim angen egluro ble mae Cymru bellach … "Ah! Gareth Bale!" ydi'r ateb mae pob un yn ei roi pan mae dyn yn dweud, "I'm from Wales".

Roedd yr hyn gyflawnwyd yn ystod yr haf tu hwnt i unrhyw ddisgwyliad. Roedd cyfraniad Gareth Bale yn amhrisiadwy, cafodd Aaron Ramsey a Joe Allen eu cynnwys yn nhîm y twrnament a chafodd cefnogwyr Cymru wobr gan Uefa am eu cyfraniad arbennig i'r bencampwriaeth.

Wrth i ni ymuno â'r ciw anferthol i ddal tram yn ôl i ganol dinas Lyon, roedd y siom yn amlwg. Roedd pawb yn ymwybodol ein bod wedi dod mor agos at gyrraedd y rownd derfynol, ond y bore canlynol wrth i ni baratoi i hedfan adref am y tro olaf, mae'n deg dweud ein bod yn llawn balchder ar ôl mwynhau pedair wythnos gorau ein bywydau.

"Nous sommes pas Anglais, nous somme Gallois!" For the first time in almost 60 years Wales were in a major tournament and reminding the footballing world that Wales is an 'Independent Football Nation'.

The calls for a Team GB have raised the hackles of the Welsh supporters in recent years, with many seeing it as a threat to the very existence of a Welsh national side. The team's achievements at Euro 2016 meant Wales, our distinctive Red Dragon flag, the players and even the fans were seen by global TV audiences measured in 100s of millions and put Wales firmly on the map.

No longer would we need to explain to anyone where Wales was … "Ah! Gareth Bale!" is the now answer everybody gives when you say "I'm from Wales".

What we achieved in France over the summer of 2016 was beyond our wildest dreams. Gareth Bale's contribution was immense, Aaron Ramsey and Joe Allen were named in the team of the tournament and Wales fans were rewarded by Uefa for our outstanding contribution.

As we joined the long queue to get the tram back into Lyon city centre, there was an air of disappointment as to what might have been but the following morning, as dawn broke and we prepared to fly home for the last time, it's fair to say we were bursting with pride having enjoyed the best four weeks of our lives.

7: CENEDL BÊL-DROED ANNIBYNNOL INDEPENDENT FOOTBALL NATION

Efallai ein bod ni fel cefnogwyr Cymreig yn cymryd ein statws fel cenedl bêl-droed annibynnol yn ganiataol ac yn ddiarwybod i nifer fawr o'r Cymry yn Ffrainc roedd cefnogwyr pêl-droed o sawl cenedl fechan o fewn Ffrainc am weld Cymru yn llwyddo ac yn ein cefnogi ni oherwydd ein sefyllfa arbennig o fewn y byd pêl-droed. Dyma nifer o gyfarchion i bobl Cymru gan ein cyfeillion yn y gwledydd bychain hynny.

The Welsh team received a warm Celtic welcome in Dinard and across Brittany, but many Welsh fans may not have been aware that our sporting success on the field was keenly followed by the peoples living in several other small nations within France, whose teams are denied the independent national football status that we enjoy. The Basques, the Catalans and the Flemish cheered us on as did many in Tolose (Toulouse), the capital of Occitània. In fact many Bretons travelled to Lyon to support us in the semi-final. Here are their greetings to the people of Wales.

2016ko udan Galeseko futbol selekzioa Eurokopan sailkatu eta txapelketan aurrera egiten ari zenean, ordurarte gurean gutxi ezagutzen zen herria hau kirol albistegietako lerroburuak bete zituen eta gutako asko, inbidia sano batekin, Cymru zale sutsuak bilakatu ginen. Hor genuen, tabernetako pantailetan Euskal Herriaren tamainako estatu-gabeko herria, talde handien artean lehian. Zoritxarrez, Estatu Frantsesak eta Espainiarrak eragotzi egiten diote Euskal Herriari selekzio ofiziala eratzea. Baina etorkizun hurbilean aspaldiko nahia beteko da eta Euskal Herria - Cymru partidaz disfrutatuko dugu. Emaitza gutxienekoa izango da.

In the summer of 2016 when the Wales national football team headed for Euro 2016, it made the headlines here. During the championship, in the bars of the Basque Country, we became fans of Cymru with a healthy envy, watching another stateless nation competing at the highest level of sport. Unfortunately, the Spanish and French governments prevent the Basque team from competing in international competitions, but we look forward to one day playing in the Euros and World Cup as a Basque national team, and to play Cymru. Win, lose or draw, what a great day that will be!

Vlaanderen

In Vlaanderen leefde een beetje een dubbel gevoel tijden de voetbal kampioenschappen Euro 2016. Men wou trots zijn op het Belgische team maar ze keken op naar Wales dat zijn eigen team heeft met supports die een voorbeeld waren voor vele naties. Kleine (naties) zijn trots en mooi.

In Flanders there was this double feeling during the Euro 2016 football championships. People wanted to be proud for the Belgian team but they looked up to Wales who had a team of their own doing so well with supporters exemplary to all nations. Small (nations) but proud and beautiful.

C'hoant o deus ar vretoned da drukarekaat ar Gembreiz evit dibab o bro e-pad ur miz, hag ar brezhoneg evel yezh kehentiñ. Trugarez d'ar vretoned bezañ gouzañvet ar Gembreiz.

Breizh

Bon astre de fotbòl galesa ! Aquesta copa d'Euròpa foguèt l'escasença per nautres, tolosencs, de veire a quin punt nòstras dos culturas ; vautres galeses e nautres occitans an en comun. Tot coma vautres aimam far fèsta, aimam cantar e tot coma vos siam una cultura sens estat. Per contra, emai s'una equipa occitana de fotbòl existís, a pas encara la reconeissénçia ni la popularitat de la vòstra.

Greetings to Welsh football fans. The Euros was a great occasion to see how our two cultures, Welsh and Occitan, have so much in common. Like you, we love to party, sing and, as nations without a state, the Occitan people sensed an affinity with you and supported your great team. When we finally have an Occitan national team, we'd be happy to be as good as you! We look forward to playing you one day soon.

Occitània

La gent de Catalunya estima el futbol i li agradaria tenir una selecció nacional com té País de Gal·les. Com milers de catalans, vaig donar suport a Gal·les a l'EURO2016 i somio amb el fet que Catalunya, algún dia, competirà a nivell mundial. Espanya fa qualsevol cosa per aturar aquest somni, així que Gal·les, mai deixeu de tenir equip nacional!!!

The Catalan people dream of having a national football status like Wales. Many of us supported Wales in the Euro2016 competition because we could identify with another small nation, like us with its own language and history. Wales are very lucky to have a team - Spain & France do everything to stop a Catalan team. Don't take it for granted, keep your independence!!

Euskal Herrian

Catalunya

Our games in Toulouse and Lyon were featured by Ron and Christoph, two journalists from the German media company, FREUND 11, and their broadcasts can be found online. These are their memories of Wales at Euro 2016:

It was June the 20th when we arrived in Toulouse on our Euro journey through the southern half of France. We had already experienced the high-class atmosphere and absolute madness of supporters during the first week of the tournament. We had learnt to recognise and moreover kept listening for hours to the brilliant beer-tinged voices from Iceland in Saint-Etienne, from Ireland in Bordeaux or from Northern Ireland in Lyon. But the Toulouse days took it to a different level.

The supporters of Wales were wandering around with gleaming eyes like children on their birthday, for it was Wales' first participation in a major tournament since 1958. The entire city of Toulouse was crowded with people in red shirts and you couldn't overlook the green-yellow-red hats everywhere. When we first saw those hats it looked as if there was a weird fishermen's convention in town! There were all generations of supporters present, the elder ones told us they had desperately been waiting for this moment for decades. The younger ones just joined in the euphoria in their own way. 'Don't take me home, I just don't wanna go to school, I wanna stay here and drink all your Sprite', sang one boy in his own version of THE summer's classic chant.

But it was at the entrance of the small and charming stadium when we had goosebumps for the first time this summer. The Welsh sector started singing a song with words we didn't really understand so we asked around for an explanation. Later we found out that it was named Calon Lân. It was more than a chant, it was a hymn ringing around Toulouse, unexpected and inimitable, this massive choir of 14,000 Welshmen silenced the entire stadium. The Welsh ascendancy in the stands was then taken onto the pitch. The sun set and the Welsh attacks started, with Bale crushing through the Russian defence and Allen playing well-timed passes with the accuracy of an architect. In the end, Wales won 3-0 but it could have been 5-0. All hell broke loose in the stadium, chants overlapping everywhere, a wimmelpicture of pure joy.

Before Toulouse, we knew little about Welsh football, but we learned quickly. About Allen, Williams, Gunter - and about Coleman.

We are happy that we were there when Wales, the team and the fans, had such a fantastic time. I only have one souvenir of the Euros in my office which reminds me of this special days in Toulouse. It is the green-yellow-red 'fishermen' hat.

Ron Ulrich & Christoph Küppers, Berlin